Imant Raminsh
Saeta Que Voladora

Three Poems of Gustavo Adolfo Bécquer
for Medium Voice and Piano

BOOSEY & HAWKES

DISTRIBUTED BY

HAL•LEONARD®
CORPORATION
7777 W. BLUEMOUND RD. P.O. BOX 13819 MILWAUKEE, WI 53213

www.boosey.com
www.halleonard.com

SAETA QUE VOLADORA
Three Poems of Gustavo Adolfo Bécquer (1836–70)
For Medium Voice and Piano

One of the early Spanish Romantic Poets, Bécquer is best know for his seventy-six delicate, sensitive "rimas." *Saeta Que Voladora* is a short group of three of these tender impressionistic lyrics. Throughout it has been the composer's guiding principle that the musical setting should never interfere with or obscure the inherent musicality of the Spanish text.

The first piece, *Yo Soy Ardiente,* is set with only a sparse piano background giving some harmonic highlights and punctuation to a quite free and rhapsodic melodic line. The second, *Volverán Oscuras Golondrinas,* is set in strophic form, each verse characterized by tension between an opening C-minor section and a closing section in B-major. The third, *Saeta Que Voladora,* is the freest rhythmically. The first two verses are somewhat agitated in nature. Verse three is heavier and more ponderous, while verse four ends with the opening music again.

– Imant Raminsh

1.

– Yo soy ardiente, yo soy morena,
yo soy el símbolo de la pasión;
de ansia de goces mi alma está llena;
¿a mí me buscas? – No es a ti; no

I am hot-blooded, my hair is dark,
I am the symbol of passion;
My soul is full of the longing for pleasure.
Is it I you are seeking? – No, not you.

– Mi frente es pálida; mis trenzas de oro
puedo brindarte dichas sin fin;
yo de ternura guardo un Tesoro;
¿a mí me llamas? – No; no es a ti.

My brow is pale, my tresses are gold;
I hold a wealth of tenderness;
Joys without end I offer you.
Is it I you are calling? – No, not you.

– Yo soy un sueño, un imposible,
vano fantasmo de niebla y luz;
soy incórporea, soy intangible;
no puedo amarte. – ¡O, ven; ven tú!

I am a dream, an impossibility,
A futile phantom of cloud and light;
I have no body, I am intangible;
I cannot love you. – O come tonight!

2.

Volverán las oscuras golondrinas
en tu balcón sus nidos a colgar,
y otra vez con el ala a sus cristales
    jugando llamarán.

The dark swallows will come again
To hang their nests on your balcony,
And again with their wings brush your windows
    As they playfully call;

Pero aquellas que el vuelo refrenaban
tu hermosura y mi dicha a contemplar,
aquellas que aprendieron nuestros nombres,
    ésas... ¡no volverán!

But those that linger in their flight
To contemplate your beauty and my gladness,
Those that learned our names
    Those will come back no more!

Volverán las tupidas madreselvas
de tu jardín las tapias a escalar
y otra vez a la tarde aún más hermosas
    sus flores se abrirán.

The entwining honeysuckle will come again
To climb upon the walls of your garden,
And once more in the evening, still lovelier,
    Its buds will open.

Pero aquellas cuajadas de rocío
cuyas gotas mirábamos temblar
y caer, como lágrimas del día....
    ésas... ¡no volverán!

But those blossoms bejeweled with dew
Whose drops we watched tremble
And fall, like tears of the day:
    Those will come back no more!

Volverán del amor en tus oídos
las palabras ardientes a sonar,
tu corazón de su profundo sueño
    tal vez despertará.

Upon your ears will fall again
The sound of burning words of love;
Your heart from its deep slumber
    Perhaps will wake;

Pero mudo y absorto de rodillas,
como se adora a Dios ante su altar,
como yo te he querido..., desengáñate,
    ¡asi no te querrán!

But mute, enraptured, kneeling,
As God before His altar is adored,
As I have loved you – be not deceived:
    You will be loved no more!

3.

Saeta que voladora
cruza, arrojada al azar,
y que no se sabe dónde
temblando se clavará;

hoja que del árbol seca
arrebata el vendaval,
y que no hay quien diga el surco
donde al polvo volverá;

gigante ola que el viento
riza y empuja en el mar,
y rueda y pasa y se ignora
qué playa buscando va;

luz que en cercos temblorosos
brilla, próxima a expirer,
y que no se sabe de ellos
cuál el última será;

eso soy yo, que al acaso
cruzo el mundo, sin pensar
de dónde vengo, ni adónde
mis pasos me llevarán.

An arrow flying past,
Shot into the darkness
Not knowing where
Its trembling point will strike;

A dry leaf from the tree
Tossed by autumn winds,
And no one knows what furrow
Will catch it when it falls;

A giant wave which the wind
Whips and drives through the sea,
That rolls on without knowing
What shore it seeks;

A lamp that, as it dies down,
Casts trembling rings of light
And knows not which of those
Will be its last.

All these am I who wander
All over the world without considering
Whence I have come, nor whither
My steps will carry me.

– translation by Imant Raminsh

SAETA QUE VOLADORA
(Three Poems of Gustavo Adolfo Bécquer)
for Medium Voice & Piano

Music by
Imant Raminsh

1. Yo Soy Ardiente

Yo soy ar - dien - te,_____ yo soy_ mo-

re - na,_____ Yo soy_ el sím - bo-lo de la pa - sión;_____

De an-sia de go-ces mi al - ma es-tá__ lle-na. ¿A mí me bus-cas?_ ¿A

M-051-93384-6

Engraved & Printed in U.S.A.

poco meno mosso

mí me bus - cas? ¿A mí me bus - cas? No es a tí;

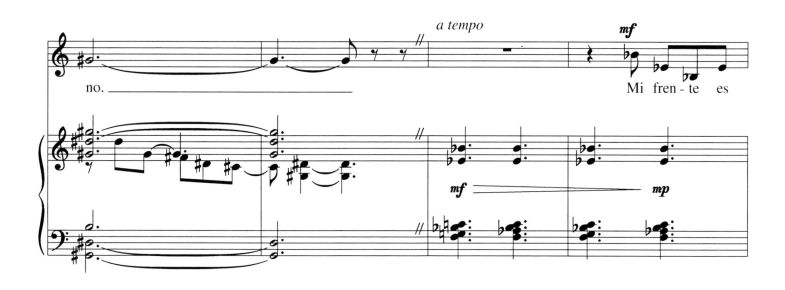

a tempo

no. Mi fren - te es

pá - li - da; mis tren - zas de o - ro; Pue - do brin -

dar - te di-chas sin fin; _____ Yo de ter - nu - ra guar do un te-so-ro. ¿A

mí me lla - mas? ¿A mí me lla - mas? ¿A mí me lla - mas _____ No; no

es a tí. _____ Yo soy un

4

2. Volverán las oscuras golondrinas

Voice

Piano

Vol-ver - án ___ las o-scu-ras go-lon -

dri - nas ___ En ___ tu bal-cón sus ni - dos a col - gar, Y o-tra

vez con el a-la a sus cris - ta - les ___ Ju - gan-do ___ lla-mar -

6

3. Saeta Que Voladora